Mayte del Monte

CRISTÓBAL COLÓN

A pesar de su fama universal, el descubridor de América sigue siendo un personaje misterioso. Se cree que nació en Génova en 1451, hijo de un matrimonio de tejedores. Ya desde niño se interesó por la navegación y desde muy joven trabajó como grumete.

El 12 de Octubre de 1492 y tras largos años de esfuerzos, desembarca en América. El documento más valioso para conocer la aventura de Cristóbal Colón es el diario de a bordo, en el que describe las peripecias de su viaje. Fallece el 20 de mayo de 1506 en Valladolid.

ADAPTACIÓN, EJERCICIOS Y NOTAS MAYTE DEL MONTE
ASESORAMIENTO ANGELA MARTÍ
EDITING PABLO IBÁÑEZ
DIBUJOS MAX ALFAJOL

PRIMERAS LECTURAS

UNA COLECCIÓN DEDICADA A GRANDES Y PEQUEÑOS
PARA DISFRUTAR LEYENDO HISTORIAS ENTRETENIDAS,
ESCRITAS CON UN LENGUAJE ASEQUIBLE
A TODOS LOS PÚBLICOS.

La Spiga languages

Cristóbal Colón, tras el fallecimiento de su mujer, se traslada de Portugal, donde había vivido hasta entonces junto a sus hijos, a España en busca del apoyo de los Reyes Católicos para su viaje.

Ya le habían denegado[1] la ayuda económica que necesitaba los Reyes de Portugal, Francia e Inglaterra. Y cuando estaba a punto de tirar la toalla[2] y tras largos meses de negociaciones, recibe a uno de los mensajeros de los Reyes Católicos para comunicarle que finalmente serán ellos quienes financien el proyecto.

1. **denegar:** decir no a lo que se pide o solicita.
2. **tirar la toalla:** expresión para indicar que uno renuncia a algo por lo que había estado luchando.

✎ **Señala la opción correcta.**

- Colón fue **uno / un** gran descubridor.
- Nació en **una / un** familia humilde.
- Según Colón dijo "yo **estoy / soy** de Génova".
- Cuando **termine / termina** la aventura, hará un viaje con sus hijos.

✎ **Señala la forma correcta.**

- ¿Estabais **durmiendo / dormiendo**?
- ¿**Saberá / Sabrá** algo de ciencia?
- No ha **vuelto / vuelta** aún.
- Ayer **esté / estuve** en el cine.
- ¿**Iré / Andaré** a la playa?

A los cuatro días de haberle nombrado almirante[1] y de haberse convertido en un noble[2] castellano, decide escribir a sus hermanos que se encuentran en Génova para que acudan lo antes posible a ayudarle en tan importante proyecto.

Necesitaba gente de su total confianza y en nadie confiaba más que en sus dos hermanos.

Nada podía salir mal, su sueño iba a hacerse realidad.

1. **almirante:** jefe de una armada.
2. **noble:** el que usa un título dado por el rey.

Une cada palabra de la columna de la derecha con el sinónimo que le corresponda, que se encuentra en la columna de la izquierda.

INMENSO	SEMEJANTE
PARECIDO	NAVÍO
VENCIDO	NEGOCIAR
DESCUBRIR	HABITAR
BARCO	INDEPENDIENTE
POBLAR	GRANDE
COMERCIAR	HALLAR
LIBRE	DERROTADO
TRATADO	CONTRARIO
ENEMIGO	CONVENIO

Palos de la Frontera, 10 de abril de 1492.

Queridos hermanos Bartolomé y Diego:
Os escribo para daros la mejor de las noticias,
tras largos años de intentar que alguien
escuchara y confiara en mi proyecto, por fin
comienza a hacerse realidad el sueño que tanto
anhelaba[1]. Los Reyes Católicos, Isabel I
y Fernando V, han aceptado sufragar mi viaje
y marcho en busca de nuevas tierras y paraísos
terrenales.
Necesito vuestra ayuda, Bartolomé: en ti confío
para la preparación minuciosa del viaje,
y Diego: necesito que ejerzas de tutor[2] de mis
dos hijos, Diego y el pequeño Fernando
en mi ausencia.
Espero noticias vuestras.

1. **anhelaba:** deseaba.
2. **tutor:** persona encargada de la protección de un menor.

✎ **Responde a las siguientes preguntas.**

· ¿Dónde vivía Colón antes de trasladarse a vivir a España? ¿por qué motivo se traslada?

_____

_____

· ¿Le fue fácil conseguir la ayuda para su viaje?

_____

· ¿Para qué avisa Colón a sus hermanos?

_____

· ¿Qué tarea le encomienda a su hermano Diego?

_____

Tan pronto como Bartolomé y Diego
recibieron la increíble noticia de su hermano
se pusieron en marcha, prepararon
lo imprescindible para el viaje y marcharon
al encuentro de su hermano Cristóbal.
A su llegada a Palos de la Frontera,
Colón y Bartolomé empezaron
con los preparativos del viaje.
Los meses de mayo, junio y julio pasaron
rápidamente y Colón apenas tenía tiempo
para estar junto a sus hijos.

🎧 **Escucha y pon los verbos que aparecen entre paréntesis en el tiempo verbal correcto.**

El mar Caribe, como (comenzar) _____ a ser llamado después de la llegada de los españoles a América, (recibir) _____ este nombre de las tribus de los caribes que en su mayor parte (vivir) _____ en las islas que forman hoy Cuba, Jamaica, Puerto Rico y La Española.

Los caribes (ser) _____ gente originaria de la cuenca del río Amazonas. (ser) _____ un pueblo violento, como todos los pueblos en su origen. (Practicar) _____ el canibalismo, una costumbre ligada a su fiereza que (ser) _____ la que les dio tan mala reputación. Para ellos (comer) _____ carne humana era una práctica religiosa. Sólo (comer) _____ a los enemigos vencidos que (haber) _____ destacado por su valor en el campo de batalla.

Era Diego quien les cuidaba y supervisaba en sus estudios. Los pequeños sólo soñaban con una cosa: poder viajar con su padre en busca de nuevos mundos.

Pero evidentemente Colón se negaba.

–Papá, ¿por qué no podemos acompañarte?– imploraban.

–Fernando, tanto tú como tu hermano sois muy pequeños, y el viaje resultará muy largo y sin duda peligroso.– respondía el padre.

–Pero papá, tú con mi edad ya navegabas, habías cruzado varios océanos, y recuerdo cuando me contabas que ya en esa época decías que tú llegarías adónde ningún otro lo había hecho.

–Lo siento Fernando, pero no hay más que hablar, os quedareis con vuestro tío Diego.

Colón creía que el tema había quedado zanjado[1], aunque nada más lejos de la realidad. Fernando ya había comenzado a planear lo que para él sería una gran aventura.

1. **zanjado:** terminado.

✎ **Completa las frases con un verbo distinto al que aparece en el texto pero de igual significado.**

· Tan pronto como Bartolomé y Diego (recibieron) _____ tan importante noticia, se pusieron en marcha.

· A su llegada a Palos de la Frontera, Colón y Bartolomé se pusieron a (preparar) _____ el viaje.

· Los meses de mayo, junio y julio (pasaron) _____ rápidamente.

· Era Diego quién les cuidaba y (supervisaba) _____ en sus estudios.

· Lo siento Fernando, pero no hay más que (hablar) _____, os quedareis con vuestro tío Diego.

· Colón (creía) _____ que el tema había quedado (zanjado) _____ .

A menos de una semana para comenzar el viaje en Palos sólo se oían ruidos de carretas, se veían mercaderes[1] ambulantes y tres grandes barcos casi listos para partir. Al puerto llegaban grandes cantidades de pescado salado, harina, arroz, galletas y toneles de vino, vinagre y agua. Por su parte Bartolomé no hacía más que animar a los marineros para que se embarcasen en esa aventura.

–¡Venid con nosotros, amigos! ¡No volveréis a tener una ocasión como ésta!

–¡Al final de la travesía[2] se encuentra el paraíso! ¡Regresareis ricos y seréis famosos en el mundo entero!

1. **mercaderes:** vendedores, comerciantes.
2. **travesía:** viaje por mar.

✎ **Contesta negativamente a estas preguntas, utilizando el adjetivo contrario.**

· ¿Está cerca el cine?

_____

· ¿Es bonita tu casa?

_____

· ¿Es nuevo tu paraguas?

_____

· ¿Es pronto para comer?

_____

· ¿Estás contenta con el regalo?

_____

· ¿Tienes mucho dinero?

_____

· ¿Es tu mejor vestido?

_____

Pese a sus esfuerzos no conseguía
el número de marineros suficientes para
tan importante travesía.

Por lo que con la autorización de los Reyes
Católicos escogieron a un grupo de presos
a los que se le prometió el perdón, y por
tanto la libertad, a cambio de embarcarse,
así como a un grupo de judíos conversos[1]
que de este modo podrían escapar
de la tan temida Inquisición[2].

–Pero Bartolomé ¿Crees que serán buenos
marinos?– preguntaba Diego.

–Por qué no, no le temen a nada.
Y no tienen nada que perder– respondía
con seguridad.

1. **judíos conversos:** convertidos al Catolicismo.
2. **Inquisición:** Tribunal eclesiástico establecido para preservar la fe católica.

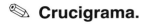
✎ Crucigrama.

HORIZONTALES:

1. MES DEL DESCUBRIMIENTO.

2. TÍTULO QUE LE OTORGAN LOS REYES A COLÓN.

3. PAÍS DE SU PRIMERA MUJER

4. CONTINENTE DESCUBIERTO POR COLÓN.

5. NOMBRE DE COLÓN.

VERTICALES:

1. NOMBRE DE UNA DE LAS CARABELAS.

2. NUMERO DE VIAJES QUE REALIZO COLÓN.

3. APODO DE LOS REYES QUE SUBVENCIONARON EL VIAJE A COLÓN.

4. MES DE PARTIDA DEL VIAJE DE COLÓN.

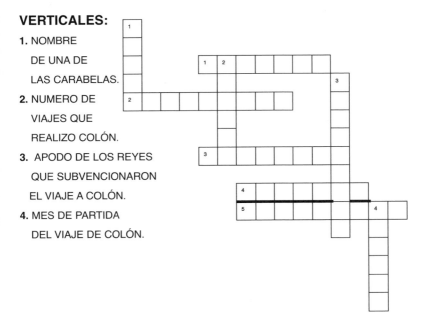

15

Así fue como en la madrugada del 3 de Agosto de 1492, todo estuvo dispuesto para el comienzo de la aventura.

Más de 90 marineros, 3 grandes barcos, dos de ellos carabelas[1] – la Pinta y la Niña – y el tercero la nao[2] Santa María.

Colón y su hermano Bartolomé se disponían a salir de casa listos para afrontar la aventura.

Los hijos del almirante no se habían quedado atrás y pese a la negativa de su padre de llevarles con él, ellos habían ideado la forma de embarcarse.

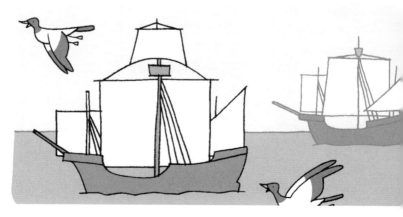

1. **carabelas:** barcos rápidos y fáciles de maniobrar, adaptados para grandes travesías.
2. **nao:** nave de grandes dimensiones con las velas cuadradas.

✎ **Completa las frases con UNO · UN · UNA.**

· Tienen _____ sofá en el cuarto de estar.

· Nos hemos comprado _____ casa en la montaña.

· ¿Te gustaría tener _____ como el mío?

· ¿Que cuántos primos tengo? Sólo _____ .

· Necesito _____ kilo de harina.

–Hijos míos, por fin ha llegado el gran momento, creo que será mejor que nos despidamos aquí en casa.

En el puerto habrá demasiada gente.– dijo el almirante.

–Por favor papa, deja al menos que te acompañemos al puerto, queremos ver como partes[1].– dijeron convincentes.

–Está bien, pero prestad mucha atención y no os separéis de vuestro tío.

A la llegada al puerto, Colón se mostraba nervioso, no quería que nada fallase. Enseguida se despidió de sus hijos y embarcó en "La Santa María", nave que él mismo se encargaría de tripular. Todo estaba saliendo tal y como Fernando y Diego habían planeado. Ahora sólo tenían que encontrar el momento justo para introducirse en el barco.

1. partir: ponerse en camino, marcharse.

✎ **Describe como sería para ti un territorio paradisíaco.**

_____

_____

_____

_____

_____

_____

_____

_____

_____

_____

_____

_____

_____

Cuando ya estaban a punto de zarpar[1]
los barcos, los pequeños se introdujeron
en uno de los enormes baúles[2] donde se
guardaban las provisiones para tan largo
viaje.
Sólo debían permanecer callados,
y en cuanto los barcos se pusieran en
movimiento, también para ellos podría
comenzar la aventura.
Fernando tenía miedo de la reacción de su
padre, pero Diego que era un gran soñador,
sólo pensaba en los nuevos mundos que
iban a descubrir y en los monstruos contra
los que tendrían que luchar.

1. **zarpar:** hacerse a la mar.
2. **baúles:** cajas grandes.

✎ **Ordena los elementos de las frases.**

- MARIA / HA / BIEN / PORTADO / SE /MUY / HOY.

- DÍA / VENDIERON / AQUEL / MUCHOS / SE / RELOJES.

- COMIENDO / LLEGARON / ESTÁBAMOS / CUANDO.

- ESTARÁN / RÚIZ / AHORA / LOS / OCUPADOS / MUY.

- LA / QUE / YA / PREPARAR / MESA / HAY.

- UNA / SÍ / LA / EN / ESQUINA / HAY.

Los barcos comenzaron a salir del puerto,
y mientras la multitud[1] que les estaba
despidiendo no paraba de gritar y agitar[2]
sus pañuelos, Diego, el hermano menor
de Colón, se dio cuenta de que sus sobrinos
no estaban junto a él.

Comenzó a buscarles desesperadamente
pero era imposible poder dar con ellos entre
tanta gente. Por un momento pensó que
podrían haberse embarcado, pero desechó
inmediatamente esta idea y siguió buscando,
pensando que sería una travesura más
de los jóvenes.

1. **multitud:** gran número de gente.
2. **agitar:** mover.

✎ **Relaciona las frases de las dos columnas.**

· Compra el pan.   Ya las he
                                    comprado.

· Compra los cubiertos.   Ya la he
                                    comprado.

· Compra la estantería.   Ya lo he
                                    comprado.

· Compra las plantas.   Ya los he
                                    comprado.

· Compra la puerta.   Ya la he
                                    comprado.

Fernando y Diego no podían creerlo,
lo habían conseguido. No paraban de
abrazarse y dar saltos de alegría. Ahora
había que decidir en qué momento salir
de las bodegas del barco, y enfrentarse
con su padre.

Fernando muy juiciosamente[1], expuso que
lo mejor sería esperar dos o tres días para
que ya no pudieran dar la vuelta y a Colón
no le quedara más remedio que continuar
el viaje con ellos.

Así es como dejaron pasar tres días
y tres noches.

1. juiciosamente: de forma sensata, coherente.

✎ **Transforma según el modelo.**

Los zapatos son muy altos.
Los zapatos son altísimos.

• La vivienda está muy cara.

_____

• Pilar es muy traviesa.

_____

• Ana es muy lista.

_____

• Es una casa muy grande.

_____

El cuarto día de travesía, decidieron que
había llegado el momento de enfrentarse
con su padre. Salieron de la bodega y
aunque las piernas les temblaban, se
dirigieron al camarote[1] donde se encontraba
Colón y en el que permanecía largas horas
escribiendo un diario de a bordo en el que
narraba y describía todas las peripecias
del viaje así como sus impresiones.
Llamaron a la puerta y cuando oyeron
la voz del padre, por un momento pensaron
en salir corriendo, pero haciendo honor
a su apellido, empujaron la puerta
y entraron con decisión en el camarote.

1. camarote: habitación de un barco.

✎ **Indica si son verdaderas (V) o falsas (F) las siguientes afirmaciones.**

- Cristóbal Colón nació
en España, aunque pasó su
infancia en Génova. `V` `F`

- Colón escribió un diario
a lo largo de su viaje hacia América. `V` `F`

- Muchos reyes europeos
le negaron la ayuda que necesitaba
para su viaje. `V` `F`

- Los Reyes Católicos
recibian el nombre de Isabel II
y Fernando VI. `V` `F`

- Colón partió rumbo a América
desde Palos de la Frontera. `V` `F`

Colón levantó la cabeza, y cuál fue
su sorpresa cuando vio a sus dos hijos frente
a él. No daba crédito[1] a lo que estaba viendo
y tuvo que frotarse los ojos para comprobar
que no estaba soñando.
Los marineros que se encontraban en
el barco cuentan que los gritos se podían
oír por todo el océano Atlántico.
Y es que Colón era un hombre de fuerte
carácter.

1. **no dar crédito:** expresión que indica no creerse lo que está
   ocurriendo.

✎ **Encuentra en esta sopa de letras ocho verbos relativos a las actividades que realiza Cristóbal Colón.**

D	I	R	I	G	I	R	A	R	E	R	A
U	O	Q	D	J	S	R	E	T	V	T	D
J	T	M	C	E	U	F	C	R	M	O	U
E	I	F	J	R	I	S	J	I	U	Q	H
S	V	I	A	J	A	R	D	P	E	D	E
V	U	C	E	M	L	U	S	U	J	T	C
I	S	D	I	C	T	V	M	L	F	D	I
E	U	R	M	E	Q	O	Q	A	T	E	F
X	O	I	R	F	M	U	S	R	R	S	M
P	U	L	O	T	J	I	H	L	O	C	J
L	M	T	Q	N	D	C	E	S	J	U	D
O	R	C	F	A	U	T	U	U	E	B	I
R	J	D	J	V	I	L	M	Q	F	R	S
A	I	L	I	E	S	E	O	D	R	I	U
R	Q	T	E	G	V	M	C	V	I	R	O
C	O	R	C	A	D	U	R	M	S	H	R
F	T	M	L	R	L	L	T	E	C	M	E
U	D	S	O	T	S	O	F	C	O	F	S
L	C	H	J	L	U	V	C	S	Q	J	I
D	E	S	E	M	B	A	R	C	A	R	O
Q	I	E	M	U	E	O	Q	E	R	I	T
O	S	T	D	S	H	A	L	L	A	R	C
R	E	M	F	O	T	U	S	I	C	E	D
T	C	J	U	E	J	O	R	U	S	T	M

–¡Qué hacéis aquí! ¿No os había dejado
claro que no podíais acompañarme,
o es que creéis que esto es un juego?
Tras un largo silencio, Colón continuó:
–Está bien queréis venir, pues a partir
de ahora os trataré como a unos marineros
más. Os levantareis al salir el sol, limpiareis
camarotes, realizareis guardias, etc.
–Está bien papá, no te defraudaremos.
Lo único que queremos es ser como tú.
Y realizaremos las tareas que nos
encomiendes[1].

1. **encomiendes:** encarges.

✎ **Responde a las siguientes preguntas.**

• ¿Por qué motivo no quería Colón que sus hijos le acompañaran?

_____

• ¿Quiénes formaban parte de la tripulación?

_____

• ¿Por qué no tenían nada que perder?

_____

• ¿Cómo consiguieron Fernando y Diego introducirse en el barco?

_____

• ¿Cómo pensaban que sería la reacción de su padre, al enterarse de que estaban en el barco?

_____

!Ahora marchaos y decidle a Pinzón que os prepare un sitio para dormir. En cuanto estéis instalados presentaros de nuevo aquí. Cuando los pequeños salieron del camarote, Colón no pudo evitar sonreír, y es que pese a su preocupación por los problemas que esto podía ocasionarle, recordó cuando él era pequeño y ya con diez años comenzó a navegar.

Las dificultades no habían aún empezado. Colón no podía imaginar lo que le esperaba.

✎ **Escribe en tu cuaderno una frase con el mismo significado que las siguientes.**

- No daba crédito a lo que estaba viendo.

- Haciendo honor a sus apellido, empujaron la puerta y entraron en el camarote.

- Fernando muy juiciosamente, expuso que lo mejor sería esperar dos ó tres días.

- Cuando ya estaban a punto de zarpar los barcos, los pequeños se introdujeron en uno de los enormes baules.

No había pasado ni una hora, cuando
uno de los marineros acude corriendo
al camarote del almirante:

–¡Señor!, corra es urgente.

–¿Qué ocurre?

–En "La Pinta" tienen problemas, parece ser
que se ha desencajado el timón[1] y van
a la deriva.

–¡Oh, no! No va quedar más remedio que
desviarnos a las islas Canarias para su
reparación. Da la orden, nos dirigiremos
todos a Canarias.

La avería ocasionó un retraso en los planes
de Colón ya que permanecieron en Canarias
casi un mes.

El 6 de septiembre parten por fin rumbo
a América.

1. timón: parte del barco que permite gobernarlo, o dirigirlo.

✎ **Indica un sinónimo de estas expresiones.**

- PERDONE = _____

- MUCHO GUSTO = _____

- ¿CÓMO ESTÁS? = _____

- ¡ENHORABUENA! = _____

La vida en el barco era dura, pero
a Fernando y a Diego parecía no importarles.
Lejos de quejarse disfrutaban
de todas y cada una de las tareas que
les encomendaban.
Y Colón poco a poco se iba sintiendo cada
vez más orgulloso de sus hijos.
Habían pasado ya unos treinta días desde
que salieron de las islas Canarias,
y la tripulación comenzaba a ponerse
nerviosa y a murmurar, no resultaba fácil
mantener el orden a bordo.
La comida había empezado a escasear
y la disentería[1] se estaba extendiendo
entre los marineros.

1. disentería: enfermedad que provoca diarrea.

🎧 **Escucha la adaptación de la carta de Cristóbal Colón a los Reyes Católicos y responde a las siguientes preguntas.**

• ¿A quién está dirigida la carta de Cristóbal Colón?

_____

• ¿ Adónde creyó Colón que había llegado?

_____

• ¿Qué tipo de ropa usaba la gente que encontró Cristóbal Colón?

_____

• ¿Cómo era el carácter de los habitantes del nuevo mundo?

_____

Todos empezaban a dudar si Colón no
estaría equivocado y si lo mejor no sería
volver de nuevo a casa.

Pinzón, buen amigo del almirante,
le informa que un motín[1] parece estar
a punto de estallar.

Colón repasa sin cesar los cálculos, en teoría
tendrían que haber alcanzado tierra
un par de días antes. No obstante, no pierde
la confianza.

Para mantener alta la moral de la tripulación,
el almirante promete una gran recompensa[2]
para aquel que divise primero tierra.

1. **motín:** alboroto, rebelión.
2. **recompensa:** regalo, ofrecer dinero a cambio de algo.

✎ **Sopa de letras: encuentra siete elementos relativos a un barco.**

M	U	S	S	A	Q	I	F	S	E	R	I
Q	D	A	H	V	L	C	M	A	U	V	P
E	S	L	T	I	U	U	E	D	S	U	O
A	T	V	R	F	G	U	C	Q	I	T	P
C	I	A	C	O	M	T	R	H	B	A	A
O	M	V	L	A	B	A	C	O	M	C	M
V	O	I	U	V	E	L	A	U	D	U	D
I	N	D	R	U	F	T	V	B	A	O	O
B	L	A	I	M	D	O	G	F	L	E	H
R	A	S	S	A	V	A	M	B	T	S	F
F	T	F	U	E	O	F	A	N	C	L	A
C	E	R	V	U	S	L	C	U	V	Q	V
D	S	A	G	A	M	O	T	O	U	E	A
L	M	H	C	O	Q	L	U	F	B	C	H
E	O	F	I	F	D	M	R	E	M	O	S
T	C	R	Q	V	O	B	A	B	L	Q	D
R	D	L	F	H	R	T	L	U	B	M	L
F	S	B	I	M	A	Q	B	B	O	S	I
C	A	M	A	R	O	T	E	D	I	R	E
O	Q	A	U	F	B	R	B	V	B	O	T

En la noche del 11 de Octubre, el cielo
parece despejado. Fernando y Diego
se muestran entusiasmados con la posibilidad
de poder ver tierra y deciden hacer guardia
toda la noche. Ya de madrugada Diego
divisa una franja de arena a lo lejos,
despierta a Fernando que se había quedado
dormido, y comienza a gritar:
–¡Tierra a la vista!
Toda la tripulación se congrega[1] en el puente
del barco y dan gracias a Dios.

1. **congrega:** reunirse.

✎ **Qué color se usa con cada una de las siguientes expresiones?**

- Cuando me entregaron el examen me quedé en _____, y no pude contestar a ninguna pregunta.
- Hugo se puso _____ cuando le dije que le quería.
- Ana e Isabel se pasan el día poniendo _____ a sus amigas del colegio.
- Cuando el trabajo es muy duro, te das cuenta que la vida no es de color _____ .
- Estas muy deprimida y por eso lo ves todo de color _____ .

Colón creía haber llegado a la India, tierra descrita por Marco Polo y no a América. Cuando apenas había amanecido y una vez anclados[1] los barcos, la tripulación monta en pequeñas embarcaciones y toma tierra. Enseguida se ven rodeados de jóvenes desnudos de piel bronceada, colgantes en la nariz y brazaletes.
Intentan hablar con ellos y prueban a hacerlo en varios idiomas, pero sólo consiguen comunicarse mediante gestos.

1. anclado: parado, sujeto por un ancla.

EJERCICIO

✎ **En tu cuaderno, prepara un menú con las siguientes comidas y bebidas, agrupándolas según las partes del día a las que corresponden:** DESAYUNO, APERITIVO, COMIDA, MERIENDA, CENA.

BIZCOCHOS · FILETE CON PATATAS ·
LECHE CON CACAO · BOCADILLO ·
TORTILLA DE PATATA · SÁNDWICH ·
ACEITUNAS · GALLETAS ·
CAFÉ CON LECHE · VERMÚ · PAELLA ·
COCIDO · VINO · MEJILLONES ·
JUDIAS BLANCAS · CHURROS
HUEVOS CON PATATAS FRITAS

Rápidamente Colón se da cuenta de que se trata de un pueblo pacífico, viven en estado salvaje pero no tienen armas, salvo pequeñas hachas[1] elaboradas artesanalmente necesarias para conseguir comida.

Se trata de un pueblo muy generoso ya que enseguida comienzan a ofrecerles todo lo que tienen.

Los marineros están maravillados por lo paradisíaco del lugar y de sus gentes.

Pese a la alegría que muestran todos, Colón no se deja deslumbrar por la hermosura del paisaje. Tiene claro cuál es su misión y el objetivo que le ha llevado hasta allí.

1. **hachas:** herramientas para el trabajo en el campo.

✎ **Separa las sílabas de las siguientes palabras.**

- REINA: _____

- CRISTÓBAL: _____

- DESCUBRIMIENTO: _____

- AMÉRICA: _____

- TRIPULAR: _____

Los pequeños Fernando y Diego enseguida hacen amistad con un grupo de jóvenes de su misma edad. Se desprenden de sus ropas y comienzan a jugar con ellos.

Colón parece tranquilo y les permite que sigan jugando con aquellos chicos.

Así podrá realizar su misión de forma más tranquila. Pese a ello le encarga a uno de los marineros que vigile lo que hacen.

El resto y tras la calurosa acogida de los lugareños (olvidados ya los días de angustia vividos en la travesía) procede a explorar la isla.

✎ **Asocia cada nombre masculino con su correspondiente femenino.**

HOMBRE   YEGUA

ESPOSO   MADRE

PAPÁ   MUJER

CABALLO   MAMÁ

PADRE   ESPOSA

Poco a poco van descubriendo riachuelos
de agua cristalina, vegetación deslumbrante
y pájaros con plumas multicolores.
Colón se ha vuelto a ganar el respeto
y admiración de todos sus marineros.
Según se van adentrando en la isla
y la vegetación se hace más espesa,
se dan cuenta de que necesitarán guías,
para poder continuar con su expedición[1]
en busca de oro.
La búsqueda resulta infructuosa, parece
que en ella no hay oro. Por lo que deciden
trasladarse a las islas vecinas.

1. **expedición:** excursión.

✎ **Corrige los errores que encuentres con los verbos SER o ESTAR.**

• Ya está muy tarde.

_____

• Ya estamos anocheciendo.

_____

• La cena es servida.

_____

• Estamos de Bilbao.

_____

• Somos en Sevilla.

_____

• No son muy alto.

_____

• Es nevando.

_____

Colón le pide a Pinzón que elija a seis
o siete nativos[1] para ir con ellos a las islas
de alrededor.

Tras largo rato, regresa sin ninguno.

—Señor, estos salvajes no desean abandonar
la isla. Han salido corriendo.

—Por amor de Dios, traedlos como sea,
necesitamos su ayuda.

—Ofrecedles regalos.

—Señor, parece que tienen miedo a otro
pueblo al que llaman "caribes"[2], me han
enseñado cicatrices que les han producido
en luchas feroces.

—Tendremos que ganarnos su confianza,
ya que necesitamos su ayuda.

1. **nativo:** el que ha nacido en la tierra en la que se encuentra.
2. **caribes:** habitantes de una isla que comían carne humana y
   eran muy violentos.

✎ **Si hoy es 23 de junio, relaciona las horas
y días con su expresión correspondiente.**

mañana · anoche · mediodía · madrugada ·
pasado mañana · anteayer · de noche ·
mañana por la mañana · medianoche

- El día 21 de junio fue _____ .
- El día 22 de junio a las 22:30 horas
  fue _____ .
- El día 24 será _____ .
- Si te levantas a las 4 de la mañana,
  te levantas de _____ .
- A las 13 horas es _____ .
- El día 25 será _____ .
- A las 24:00 horas será _____ .
- A partir de las 21:00 horas será

  _____ .

- El día 24 a la 10:00 horas será

  _____ .

Los pequeños Diego y Fernando, permanecen en la hermosa isla, en la que tan buenos amigos han hecho. Su vida allí es como un sueño, no han de acudir al colegio y pasan gran parte del día realizando exploraciones por la isla.

Están descubriendo nuevas especies de animales que nunca habían visto antes. Desde papagayos[1] y demás pájaros exóticos, hasta grandes animales marinos como los manatíes[2].

1. **papagayos:** ave con plumas de muchos colores.
2. **manatíes:** mamífero de gran tamaño, que vive en el agua.

 Crucigrama.

HORIZONTALES:

1. EL T _ _ _ _ _ PUEDE PROVOCAR CANCER.
2. LA B _ _ _ _ _ ES MI FRUTA PREFERIDA, ME GUSTA MUCHO SU COLOR AMARILLO.
3. ESTA FRUTA SE PARECE A UNA PERA GRANDE.
   A _ _ A _ _ T _.
4. NO TOMARÉ MAS C _ _ _ O NO PODRÉ DORMIR.

VERTICALES:

1. LECHE CON C _ _ _ _ ES LA BEBIDA PREFERIDA DE LOS NIÑOS EN EL DESAYUNO.
2. PARA HACER UNA TORTILLA A LA ESPAÑOLA NECESITARAS HUEVOS Y P _ _ _ _ _ _.
3. TE HAS PUESTO ROJA COMO UN T _ _ _ _ _.
4. ¿HAS PROBADO UNA MAZORCA DE M _ _ _ ASADA?

Gracias a sus nuevos amigos han aprendido
a cazar y pescar, para luego cocinar
su propia comida.
Han descubierto lugares paradisíacos,
pequeños arrecifes[1] de coral, y se han
adentrado en zonas boscosas con grandes
cocoteros. En alguna ocasión han sentido
miedo, pero sus amigos a los que llaman
Lilú y Ruano siempre están
pendientes de ellos.
Por su parte Fernando y Diego,
también les han enseñado sus costumbres
y los pequeños nativos se muestran muy
extrañados con la forma de jugar y pasar
el tiempo que ellos tienen.

1. **arrecife:** especie de roca que se forma bajo el mar.

✎ **Imagina que vas en barco y de pronto tras un accidente acabas solo en una isla desierta. ¿Qué harías para sobrevivir hasta que lograran rescatarte?**

_____

_____

_____

_____

_____

_____

_____

_____

_____

_____

Colón ya ha conseguido todo lo que pretendía para éste su primer viaje.

Se siente deseoso de regresar a su hogar y ponerse en contacto con los Reyes Católicos para contarles todos sus logros. De regreso llevan grandes cantidades de oro, alimentos hasta ahora desconocidos para ellos como patatas, tomates, maíz, el tabaco… Y cuentan con una población dócil[1] a la que pueden gobernar fácilmente.

Colón lo tiene todo planeado, dejará a un grupo de marinos allí, hasta que regresen en un segundo viaje.

1. **dócil:** obediente.

✎ **Qué le dices a alguien cuando...**

- es su cumpleaños:

  _____

- está comiendo:

  _____

- se va a ir de viaje:

  _____

- se acaba de casar:

  _____

- acabas de conocerle:

  _____

- ha fallecido un familiar:

  _____

Cuando Colón les comunica a sus hijos
que ha llegado la hora de partir, éstos
se muestran tristes. Están a finales del mes
de diciembre y le ruegan a su padre que
les permita quedarse un poco más.
Pese a la fama de Colón de ser arisco
y duro, en el fondo tiene su corazoncito
y decide que el día de la partida será
el 4 de enero.

✎ **Indica expresiones equivalentes a las siguientes.**

• ME DA IGUAL

= _____

• NO LLEVAS RAZÓN

= _____

• ODIO ESE SITIO

= _____

• ESTÁS EQUIVOCADO

= _____

• CLARO

= _____

Había llegado la hora de partir, Fernando
y Diego se mostraban tristes,
ya que la aventura llegaba a su fin.
Sabían que nunca olvidarían aquellos
meses. Pero a la vez tenían muchas ganas
de reencontrarse con sus tíos y amigos
y poderles contar todo lo que habían visto.
Se despidieron de los muchos amigos
que habían hecho y pusieron rumbo
a España, con la seguridad de haber vivido
la mejor aventura de su vida.

✎ **Responde en tu cuaderno a las siguientes preguntas.**

- ¿Qué te parece el castigo que les pone Colón a sus hijos cuando descubre que han embarcado?

- ¿Por qué sonríe cuando los pequeños salen del camarote?

- ¿Con qué dificultades se encuentran a lo largo del viaje?

- ¿Cuándo y dónde se produce el momento del descubrimiento de "Tierra"?

CLAVES

CRUCIGRAMA (p. 15)
HORIZONTALES:
1. OCTUBRE · 2. ALMIRANTE · 3. PORTUGAL · 4. AMERICA · 5. CRISTÓBAL

VERTICALES:
1. PINTA · 2. CUATRO · 3. CATÓLICOS · 4. AGOSTO

SOPA DE LETRAS (p. 29)
Ocho verbos relativos a las actividades de Colón:
DIRIGIR, VIAJAR, TRIPULAR, EXPLORAR, DESCUBRIR, NAVEGAR, DESEMBARCAR Y HALLAR

SOPA DE LETRAS (p. 39)
Siete elementos relativos a un barco:
TIMÓN, REMO, CAMAROTE, SALVAVIDAS, VELA, ANCLA Y POPA

CRUCIGRAMA (p. 53)
HORIZONTALES:
1. TABACO · 2. BANANA · 3. AGUACATE · 4. CAFÉ

VERTICALES:
1. CACAO · 2. PATATAS · 3. TOMATE · 4. MAIZ

PORTFOLIO

Pon una muesca (✓) en la columna correcta.

He aprendido a:

usar el verbo SER y ESTAR (pag. 49)	☺	☺	☹
usar el masculino y femenino (pag. 47)	☺	☺	☹
construir frases negativas (pag.13)	☺	☺	☹
usar los articulos indeterminados (pag. 17)	☺	☺	☹
usar correctamente pronombres (pag. 23)	☺	☺	☹
usar expresiones coloquiales (pags 41, 57, 59)	☺	☺	☹
usar el superlativo (pag. 25)	☺	☺	☹
utilizar diferentes tiempos verbales (pag. 9)	☺	☺	☹
usar algunos participios irregulares (pag. 3)	☺	☺	☹
utilizar sinonimos (pag. 5, 11, 33, 35)	☺	☺	☹
separar en silabas (pag. 45)	☺	☺	☹
utilizar expresiones para las distintas horas del dia (pag. 51)	☺	☺	☹
expresarme por escrito (pags 19, 55)	☺	☺	☹

© 2007 ELI SRL - LA SPIGA LANGUAGES • TEL. +39 02 2157240 • info@laspigaedizioni.it • info@elionline.com

IMPRIME TECNOSTAMPA • ITALIA